drawing
&
coloring
book
/
my adventure
from
childhood

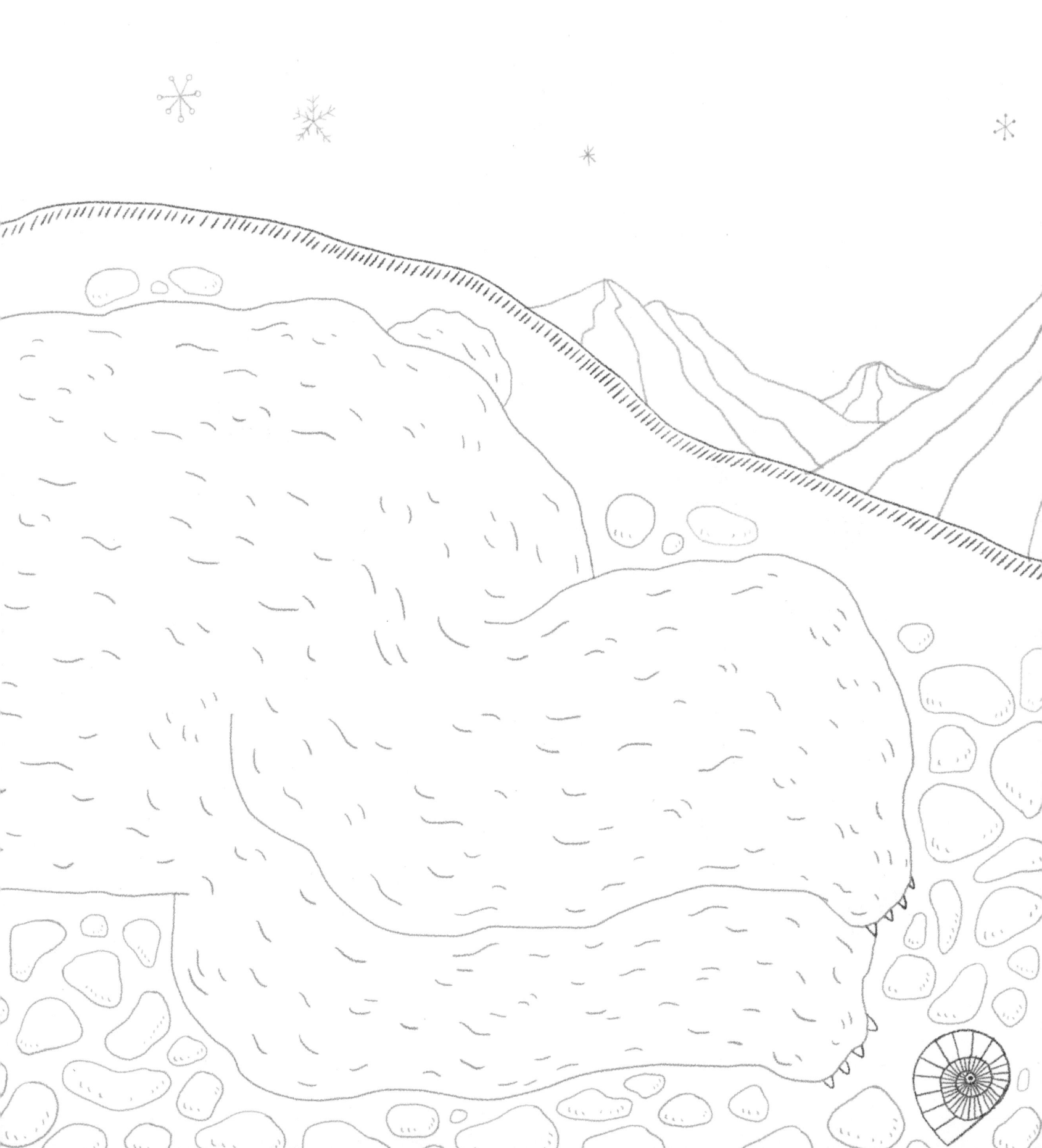

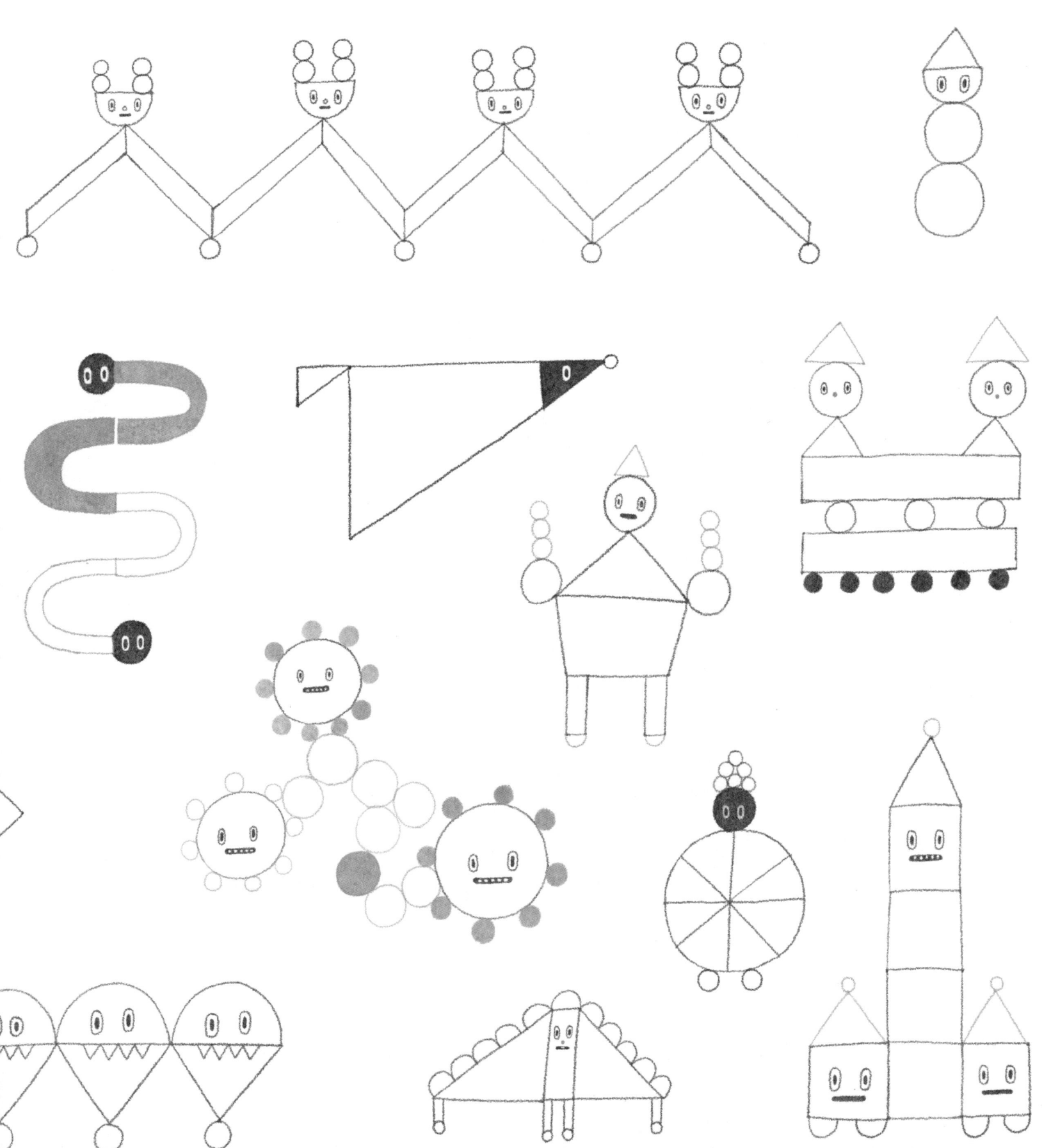

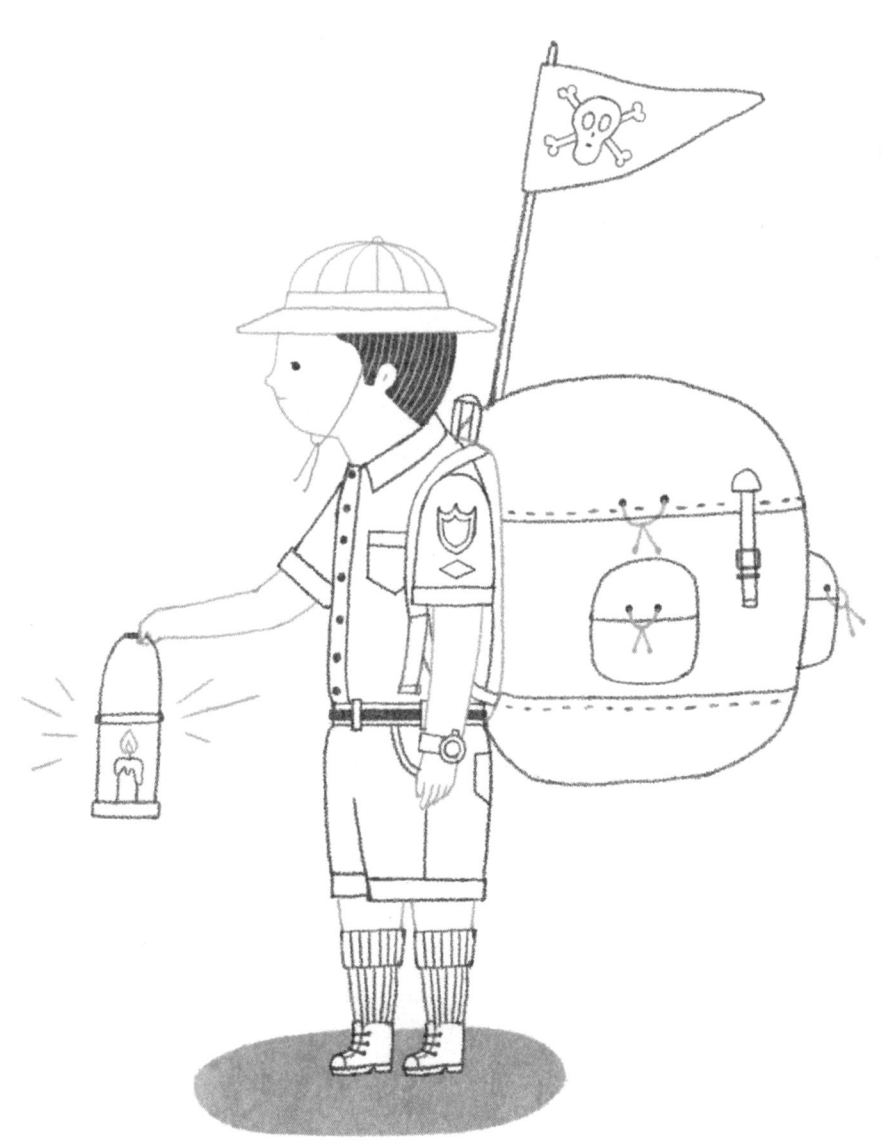

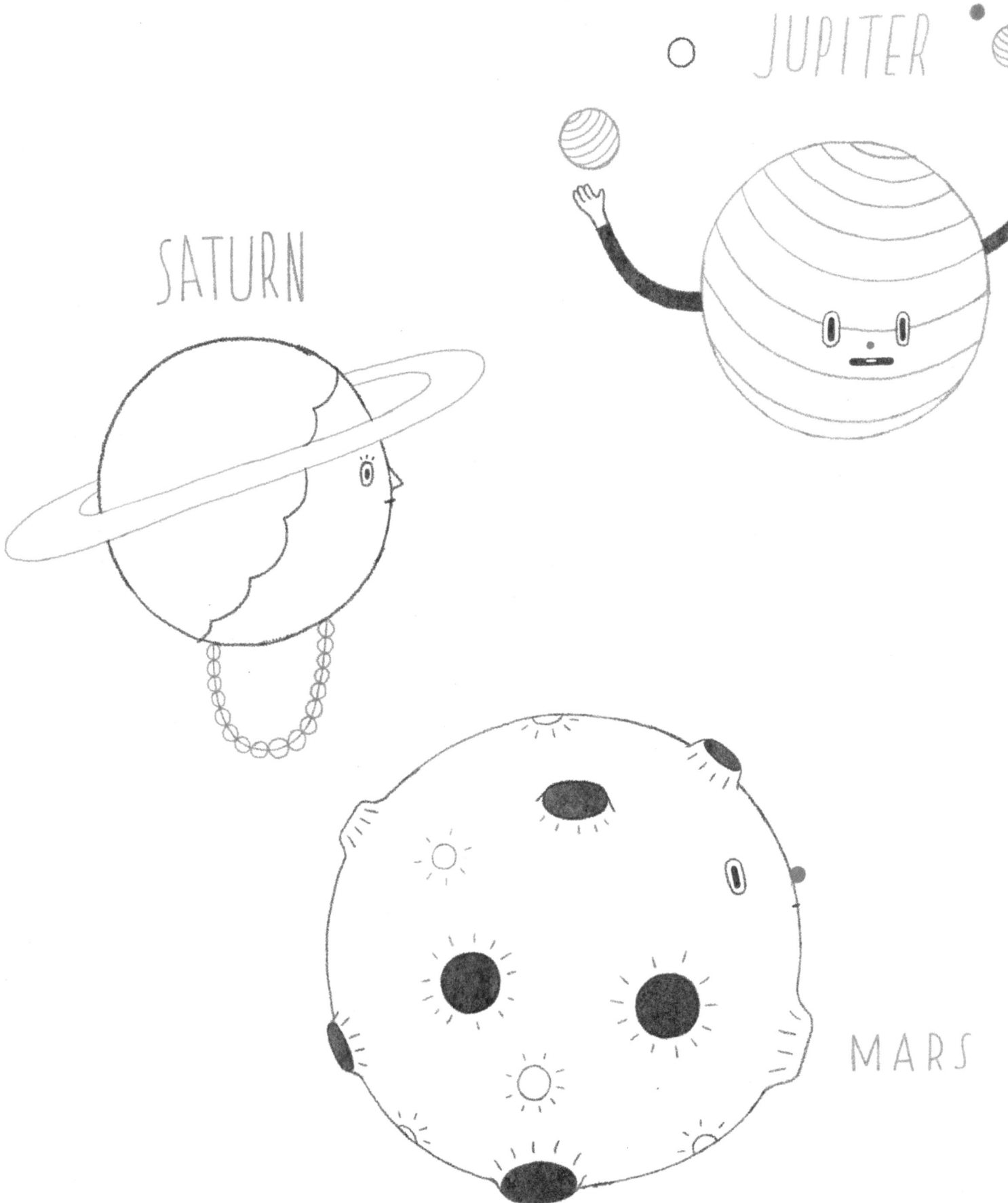

 STAR

EARTH

 SUPERNOVA

 SUN

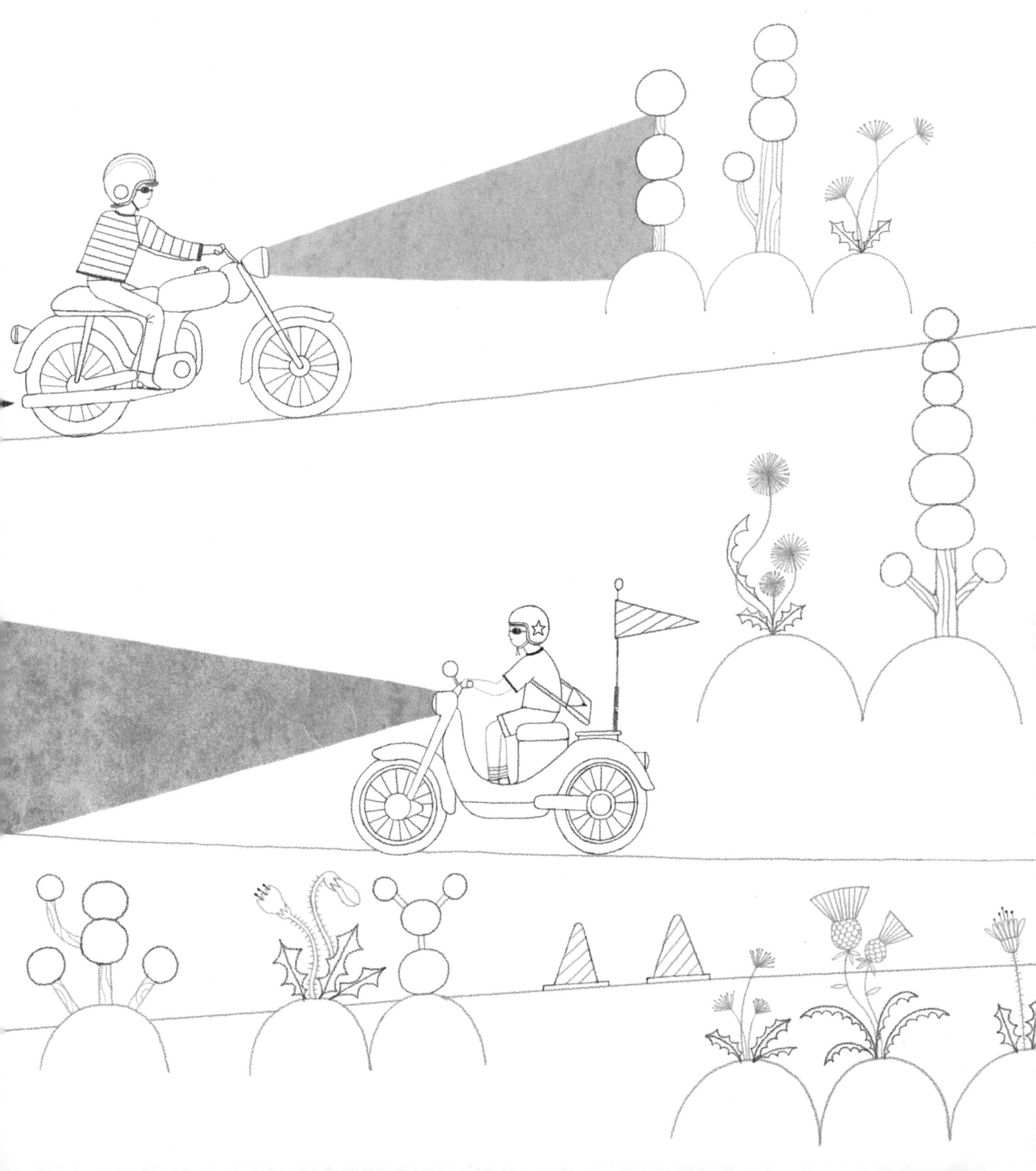

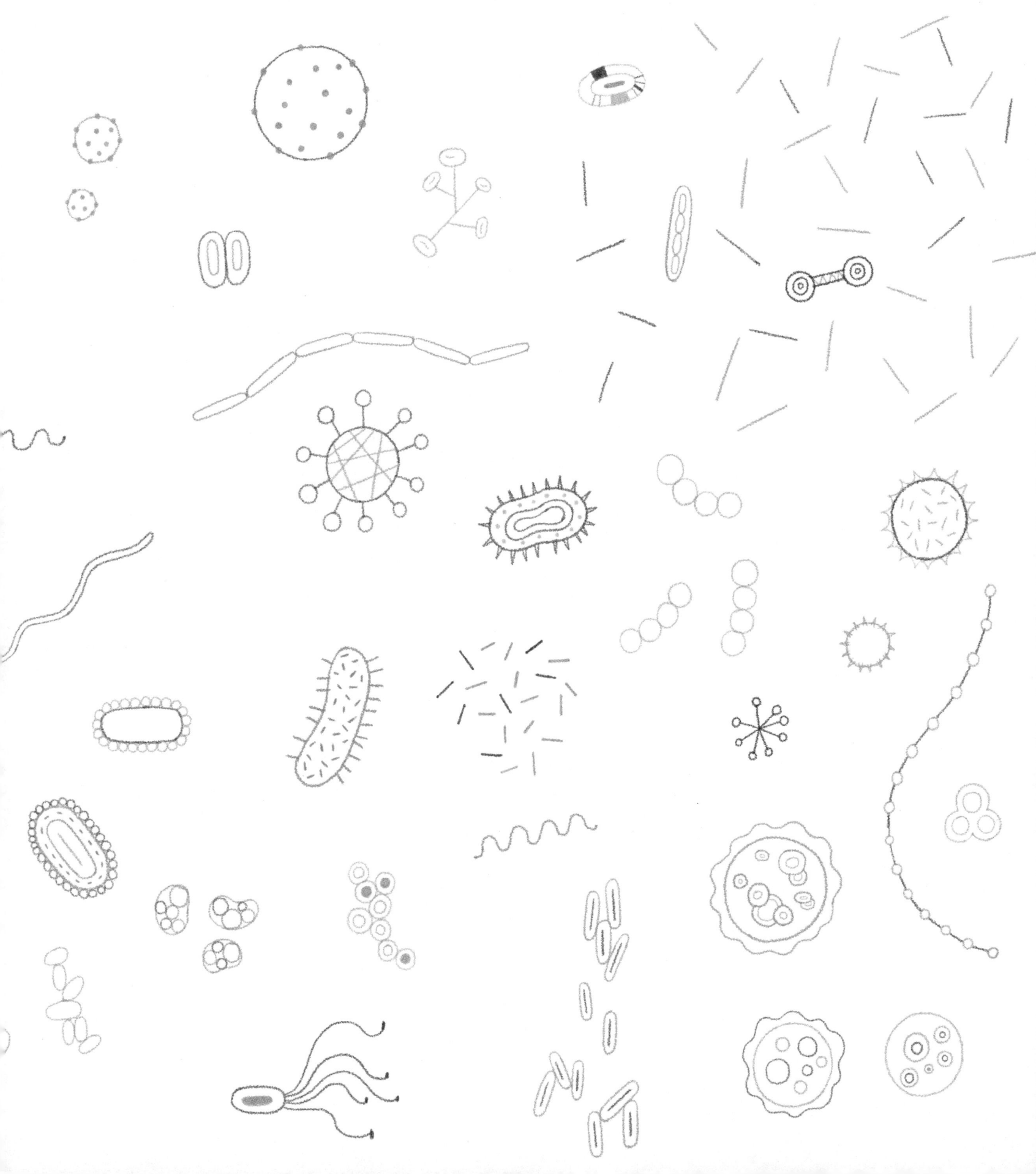

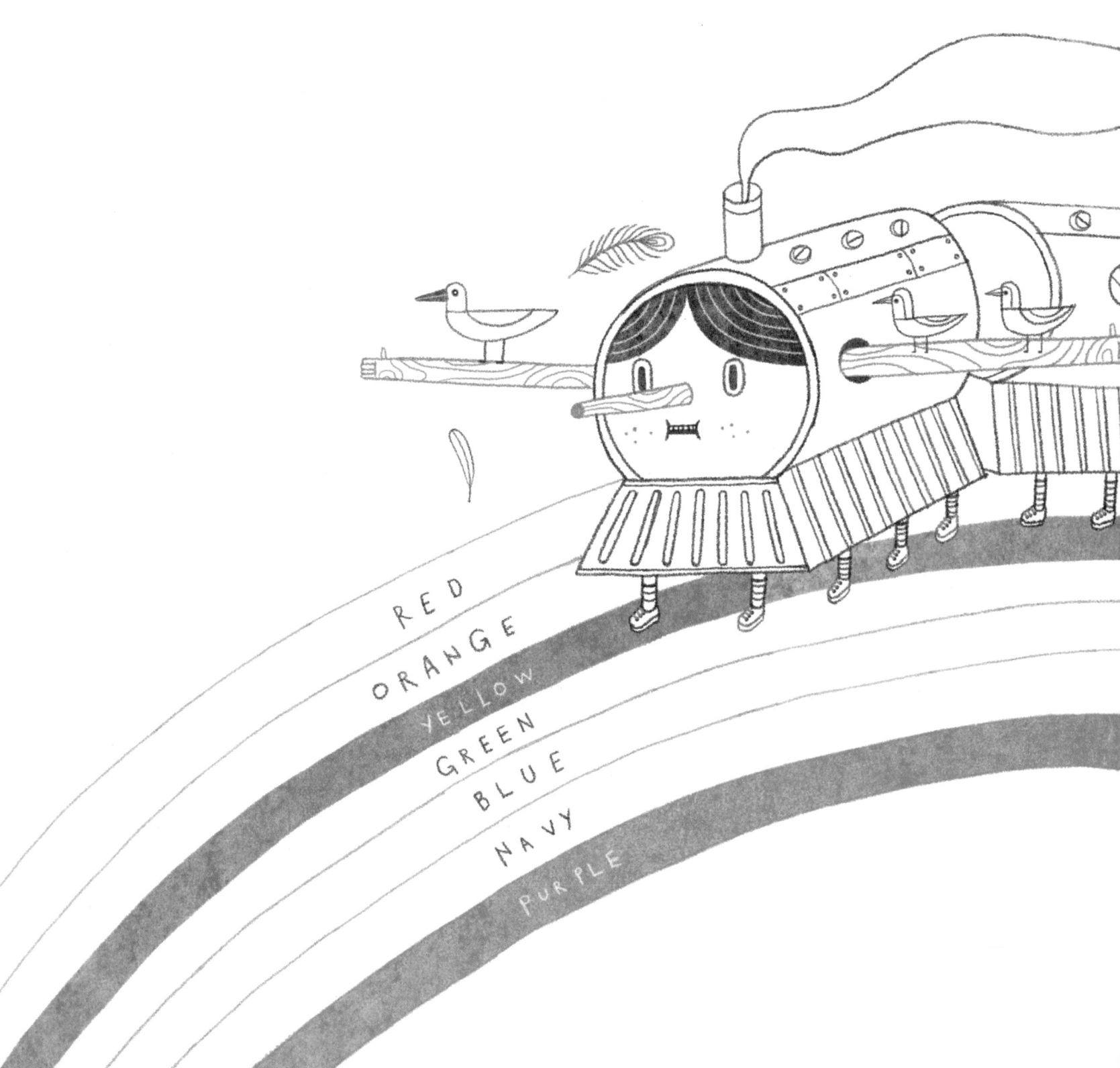

RED
ORANGE
YELLOW
GREEN
BLUE
NAVY
PURPLE

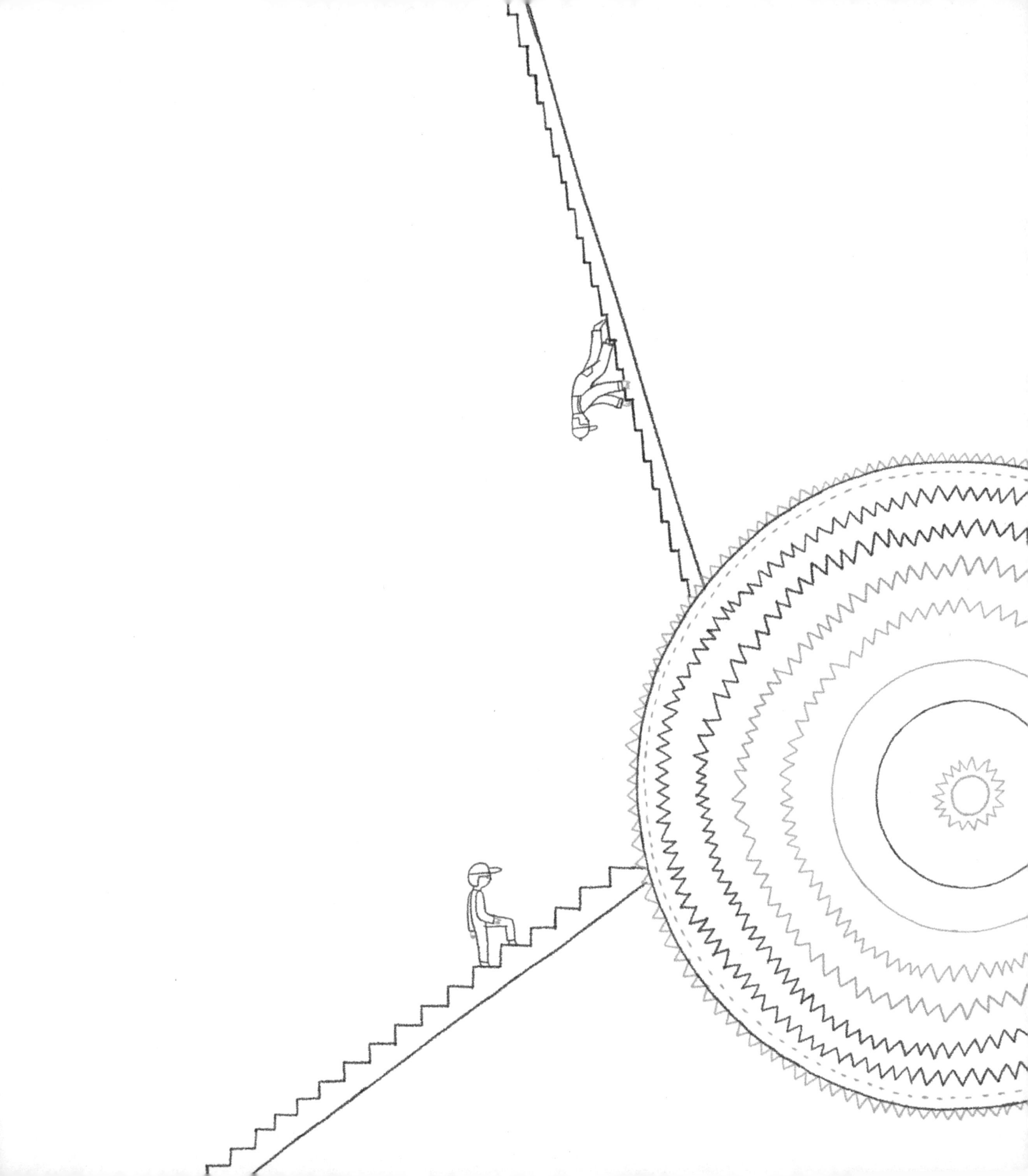

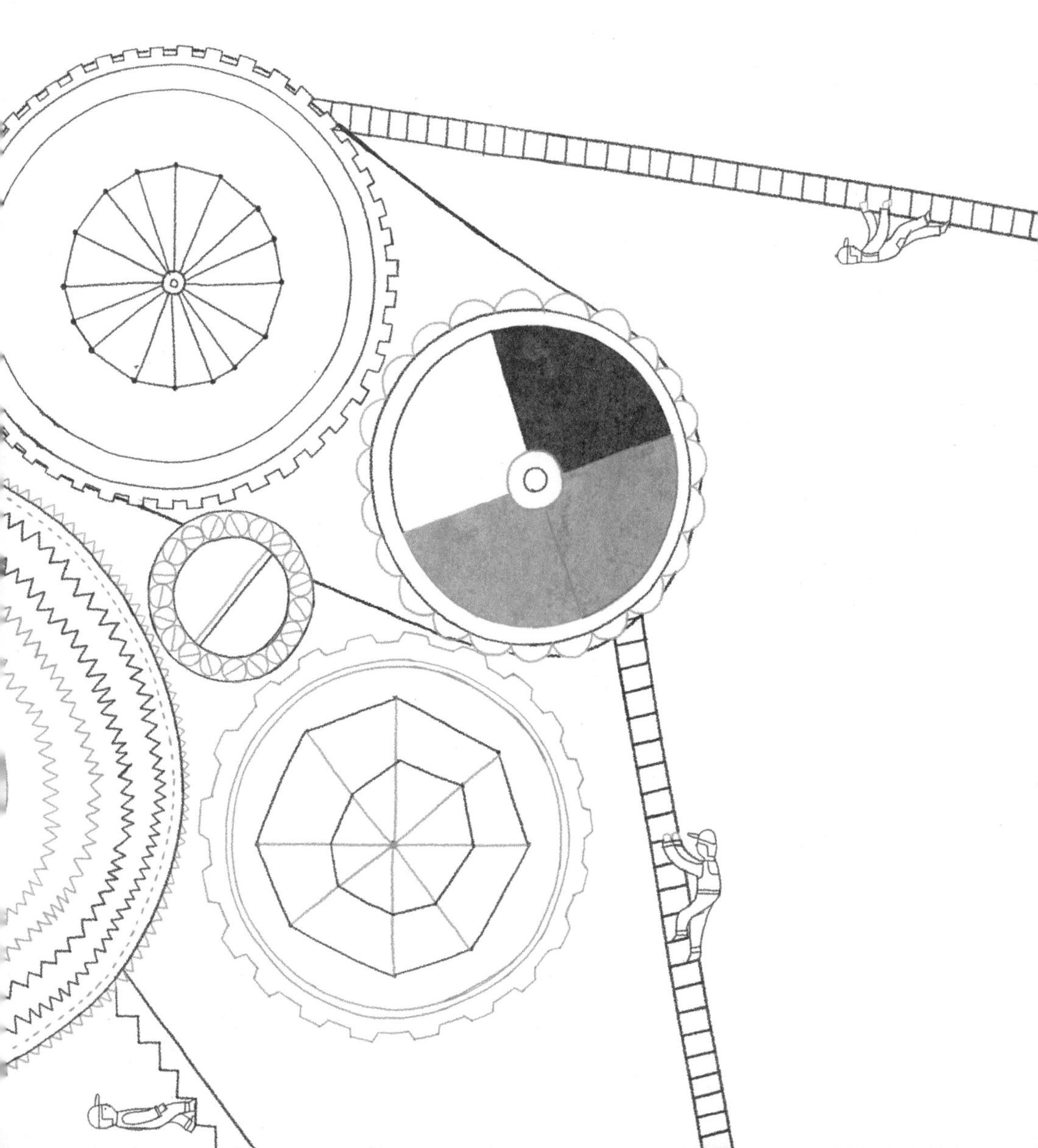

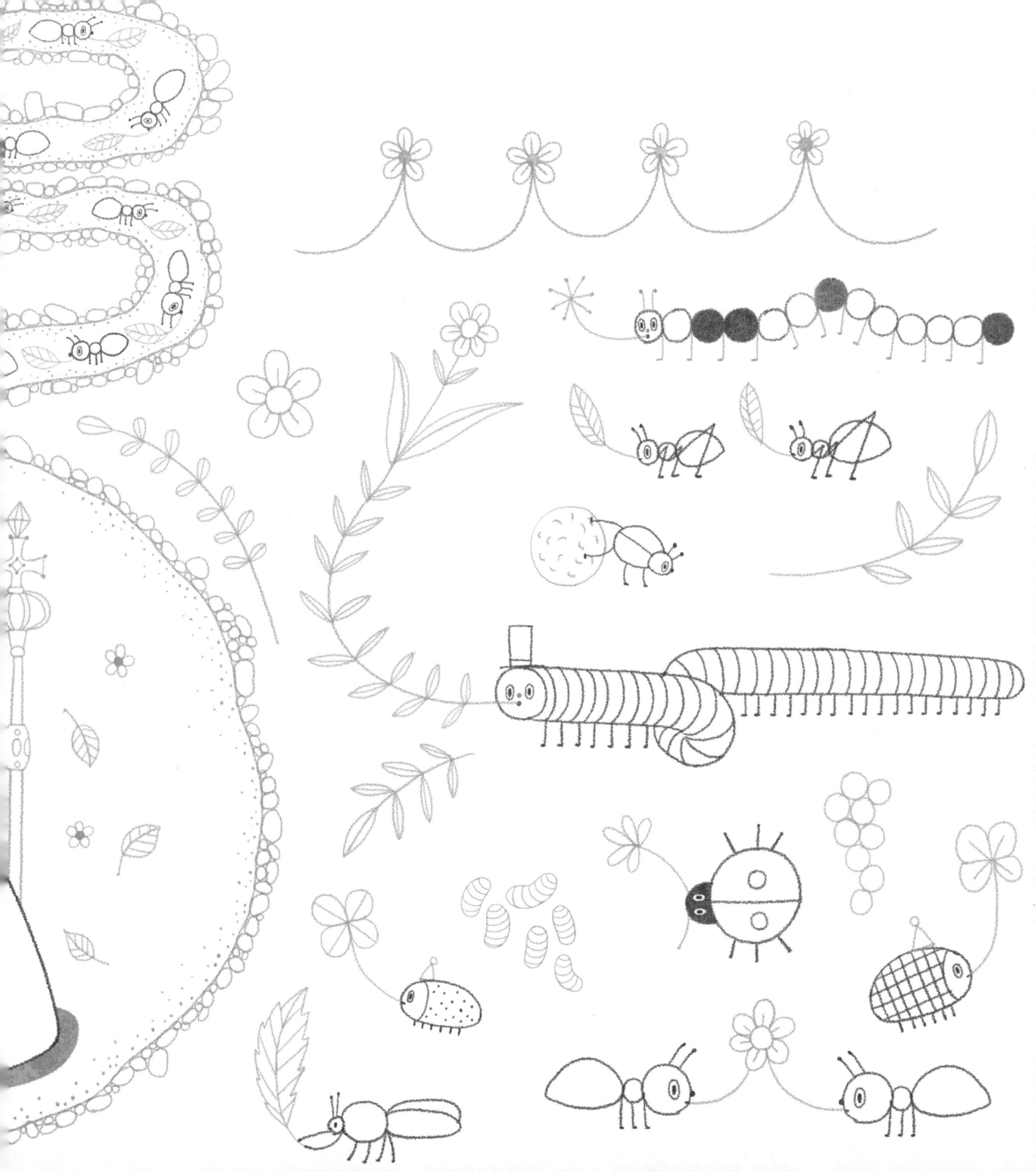

ANDANTE MOTHER

안단테마더는 산책하듯 걷는 속도, 느리지도 빠르지도 않는,

'제 속도'로 아이의 교육과 육아를 하는 엄마를 의미합니다.

출판사 안단테마더는 이러한 속도로 걸어가길 희망하는 부모, 교사, 아이들에게

아름다운 비주얼 지식창고로서의 역할을 다 해줄 수 있는 책을 기획합니다.

김승연

홍익대학교 시각디자인과를 졸업하고,

현재 그래픽스튜디오 텍스트컨텍스트(textcontext)의 대표와 작가를 겸하고 있습니다.

대표작으로는 그림책 '여우모자'와 '얀얀'이 있습니다.

태교동화책 '하루 5분 엄마 목소리'와 '하루 5분 아빠 목소리'의 그림을 그렸습니다.

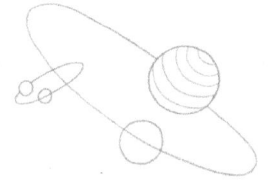

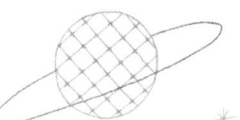

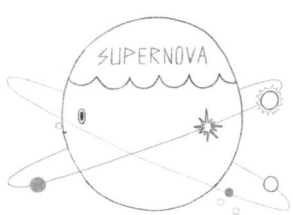

차일드후드
첫 번째 추억, 나의 어린시절 옷장
My Closet from Childhood

차일드후드
두 번째 추억, 나의 어린시절 동물친구들
My Animals from Childhood

차일드후드
세 번째 추억, 나의 어린시절 상상여행
My Adventure from Childhood

기획 안단테마더 | 그림 김승연

거울과 옷장 앞에서 아름답게 변신하고,
뽐내기에 여념 없던 나의 어린 시절 패션이야기!

기획 안단테마더 | 그림 김승연

따뜻했던 위로! 우리집 마당과 동물원,
그림동화 속에서 매일 함께 뒹굴던 나의 동물친구 이야기!

기획 안단테마더 | 그림 김승연

철없이 뛰놀고, 무한한 상상력으로 끝없이 날아오를 수 있던
나의 어린시절 보물같은 모험이야기!

차일드후드

세 번째 추억, 나의 어린시절 상상여행

기획 ǀ 발행	전수영 ǀ ANDANTE MOTHER
그림	김승연
발행	ANDANTE MOTHER
인쇄	마들
등록	2011년 06월 10일 제 2014-000080호
주소	서울시 용산구 임정로 109 다-3 안단테마더
홈페이지	www.andantemother.kr
전자우편	andante_info@naver.com
ISBN	979-11-954958-3-2
ISBN(SET)	979-11-954958-0-1
정가	16,000원